**...a Landau (dit Nat)**
...orrespondant à Prague
...uvre l'Europe de l'Est-

**Alan Pleshette**
Président du Conseil
d'Administration de CANAL CHOC

**Andréas Meyer**
...spondant à Hambourg
...uvre l'Europe du Nord-

**Che Wan Chou**
Correspondant à Singapour
couvre l'Etrême-Orient

**...lip Hilmer (dit Phil)**
...espondant à New York
...re l'Amérique du Nord

**Emilio Covadonga**
Correspondant à Buenos Aires
couvre l'Amérique Latine

# C H  O C

**Jacques Combes (dit Jacky)**
Stagiaire

**Graziella Plattner**
Suisse, Grand Reporter
Journaliste vedette de
CANAL CHOC

**Raymond Lefebure**
Responsable de la Sécurité

Les Humanoïdes Associés présentent

# CANAL CHOC

# LES CHASSEURS D'INVISIBLE

scénario et dialogues
## CHRISTIN

supervision graphique
## MÉZIÈRES

dessin et encrage
## AYMOND

couleur
## TRANLÉ

invitée
## ANNIE GOETZINGER

Conception graphique : Didier Gonord
Couleurs : Évelyne Tranlé

CANAL CHOC T. 4
LES CHASSEURS D'INVISIBLE

Première édition :
septembre 1992 - LES HUMANOïDES ASSOCIÉS
© 1992 Humano S.A. - Genève
Dépôt légal : septembre 1992

Achevé d'imprimer en août 1992
sur les presses de l'imprimerie Vincenzo Bona, à Turin

ISBN : 2.7316.0937.0
41.0601.9

ANAL CHOC, PARIS.
'EHORS, C'EST DÉJÀ
RESQUE LE DÉBUT
DU PRINTEMPS.
DEDANS,
C'EST L'HIVER
PITOYABLE...

OÙ EN EST-ON, CHARLES ?

DANS LA MERDE, SAUF VOTRE RESPECT, MA CHÈRE MARIE-HÉLÈNE !

C'EST POUR ÇA QUE J'AI CONVOQUÉ CE CONSEIL DE GUERRE.

OUI, LES ENFANTS ! ON EST DANS LA PANADE. LES EXPLOITS EN DIRECT, LES COUPS FUMANTS, LES EXCLUSIVITÉS DU BOUT DU MONDE, TOUS NOS TRUCS DE PETITS MALINS...

L'ATTAQUE DE CANAL CHOC PAR HÉLICO N'A PAS SEULEMENT CASSÉ NOTRE STUDIO ET NOS CAMÉRAS... ELLE A CASSÉ NOTRE IMAGE !

EH BIEN, ÇA A FINI PAR NOUS CLAQUER À LA GUEULE !

UNE CHAÎNE DE TÉLÉ COMME NOUS, QA RACONTE LE MALHEUR DES AUTRES, QA RACONTE PAS SON MALHEUR À ELLE, SES FEMMES DISPARUES OU DÉFIGURÉES...

SES REPORTERS À INTERMITTENCE, OU BOURRÉS COMME DES COINS...

OH... HIPS !... ÇA VA LA MORALE !

JE DIRAIS MÊME PLUS... LA MORALE, EURP... C'EST INDIGESTE !

JE DIRAIS MÊME PLUS, IL FAUT AGIR POUR DE BON ! BANG ! BANG !

CE QU'IL FAUT, C'EST ARRÊTER DE PARLER POUR NE RIEN DIRE !

MAIS ALORS, ON NE FAIT PLUS DE LA TÉLÉ !?...

NON ! ON SAUVE NOTRE PEAU !

TOUT-À-FAIT D'ACCORD, PAUL ! ALORS COMMENÇONS PAR UN POINT COMPLET DE TOUT CE QU'ON SAIT...

ET ENSUITE, ON PART À L'ATTAQUE ! ASSEZ ÉCOUTÉ, ASSEZ FILMÉ, ASSEZ MORFLÉ !

CHARLES ! C'EST UN LANGAGE DE VIEUX SOUDARD QUE VOUS AVEZ LÀ, PAS DE DIRECTEUR DE L'INFORMATION.

C'EST POSSIBLE, MA PETITE CHARLOTTE. MAIS QUAND TOUT L'ARRIÈRE D'UN IMMEUBLE EST DÉFONCÉ...

QUAND ON SE PÈLE DE FROID DANS UNE SALLE DE RÉDACTION PLEINE D'ÉCHAFAUDAGES...

QUAND IL PLEUT SUR LES ANCIENS DÉCORS DE NOTRE GRAND STUDIO...

QUAND LA MOITIÉ DE NOTRE MATÉRIEL EST HORS-SERVICE

QUAND ON COMMANDE DES EXTINCTEURS CHAQUE SEMAINE...

QUAND LES PAPARAZZI DE LA PRESSE POURRIE CAMPENT DEVANT CHEZ NOUS EN ATTENDANT CE QUI VA NOUS TOMBER SUR LA TRONCHE...

QUAND LE SEUL LIEU OÙ CONSERVER UN MALHEUREUX DESSIN EST LA PIÈCE BLINDÉE...

QUAND LA POLICE S'AVÈRE INCAPABLE DE RETROUVER L'APPAREIL BÊTEMENT DÉTOURNÉ À ISSY-LES-MOULINEAUX POUR NOUS ATTAQUER...

QUAND SCOOPTV SE FOUT DE NOUS EN OUVRANT UNE RUBRIQUE INTITULÉE: "LES HANDICAPÉS DE L'INFO"...

CANAL FLOP

QUAND ALAN PLESHETTE ET LE CONSEIL D'ADMINISTRATION DE VANCOUVER ME METTENT LE COUTEAU SOUS LA GORGE À CHAQUE APPEL...

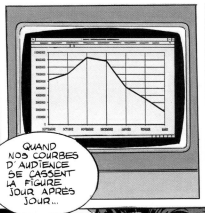

QUAND NOS COURBES D'AUDIENCE SE CASSENT LA FIGURE JOUR APRÈS JOUR...

QUAND NOS IMPAYÉS S'ACCUMULENT SEMAINE APRÈS SEMAINE CHEZ TIROIR-CAISSE...

ET QUAND ON NOUS RENVOIE NOS CARTONS D'INVITATION EN NOUS DISANT QU'ON N'ASSISTERA PAS À UNE DE NOS SOIRÉES...

JE DIS QU'IL FAUT RÉAGIR !

BRAVO !

BRAVO !

C'EST VRAIMENT UN CHEF DANS L'ÂME, NOTRE PATRON.

JE DIRAIS MÊME PLUS, C'EST UN PATRON JUSQU'À LA TRIPE, NOTRE CHEF-

OH, ÇA VA LES MAUVAIS ESPRITS !

S'CUSEZ !

ON EST À LA BOURRE !

ALLONS CHARLOTTE... ON BLAGUAIT !

VOUS SAVEZ QUE JE N'AIME PAS ÇA, LES RETARDS EN CONSEIL DE GUERRE ?

NOUS... SCRONCH... CHAVONS...

JUMBO ?! SI MÊME TOI TU T'Y METS, OÙ ON VA ?

CH'ÉTAIS EN TRAIN DE FAIRE LES BRANCHE-MENTS POUR CONTACTER LE...SCRONCH... GRAND ÉCRAN.

ON EST TOUS LÀ POUR UNE SÉANCE DE BRAIN STORMING D'OÙ CANAL CHOC DOIT RÉÉMERGER EN FORCE.

JE VIENS DE DÉTAILLER TOUT CE QUI ALLAIT MAL, MAIS JE CROIS AUSSI QU'ON COMMENCE À AVOIR DES ATOUTS...

ET PEUT-ÊTRE MÊME Y VOIR UN PEU PLUS CLAIR DANS CE BROUILLARD. J'AI FAIT UNE LISTE DE TOUT CE QU'ON A -

ON VA REGARDER ÇA ET CARBURER FERME, D'ACCORD ?

ON VA COMMENCER PAR LE PLUS LOINTAIN ET, PEUT-ÊTRE, LE PLUS PROMETTEUR. EMILIO EST EN LIGNE ?

OUI, CHARLES ! IL NOUS ATTEND AFIN DE COMMENCER, ET ON POURRA GARDER SON INTER-VENTION POUR DU DIFFÉRÉ

PARFAIT ! ALLONS-Y !

CLIC

EN PATAGONIE
MÉRIDIONALE, AU PAYS
DES PIERRES QUI VOLENT
ET DES TERRITOIRES
VIDES DE TOUTE
PRÉSENCE HUMAINE...

ICI
EMILIO
COVADONGA -

APRÈS
UNE ARRIVÉE
SANS
PROBLÈME,
J'AI EU
BEAUCOUP
DE MAL
À MONTER
MON
EXPÉDITION -

JE ME SUIS
HEURTÉ AUX
SUPERSTITIONS,
AU CHANTAGE,
À LA
MÉFIANCE
POLITIQUE,
À LA
DÉNONCIATION,
ENFIN...
PLEIN DE TRUCS
DÉSAGRÉABLES
...

MAIS,
SOUS COULEUR
DE FAIRE
DES PHOTOS
POUR UN GRAND
MAGAZINE
TOURISTIQUE
AMÉRICAIN,
JE SUIS
ENFIN
PARVENU À
ENTRAÎNER
UNE PETITE
TROUPE
HÉTÉROCLITE -

LES LAMAS
ÉTAIENT LÀ
POUR FAIRE
COULEUR
LOCALE SUR
NOS PHOTOS
DE TOURISTES
DE CHOC.
MAIS AUSSI
POUR
LE CÔTÉ
PRATIQUE -

QUANT
AUX HOMMES,
IL Y A
VRAIMENT
DE TOUT...

11

ANCIENS MILITAIRES ARGENTINS ET CHILIENS VIRÉS DE L'ARMÉE DURANT LES DICTATURES ...

ANCIEN GAUCHO RECONVE MERCENA ANCIEN MILITANT POLITIQU DEVENU AVENTURI SANS CAU INDIEN N'AYANT RIEN À PERD ...

C'EST UN CONVOI UN PEU ÉTRANGE ET DIFFICILE À GÉRER QUI M'ACCOMPAGNE LES LAMAS N'Y SONT PAS LES PIRES TÊTES DE COCHONS, SI J'OSE DIRE ...

MAIS CES DURS À CUIRE SONT AUSSI DES HOMMES D'ARMES EXPÉRIMENTÉS CAR J'AI TIRÉ LES CONCLUSION DES GRANDS MALHEURS DE CE ET DE CELLES QUI M'ONT PRÉCÉDÉ DANS CE GENRE DE QUÊTE.

GRAZIELLA DANS LE DÉSERT D'ARABIE, ROSE EN AFRIQUE DU SUD, ET MÊME NOS VAILLANTS DUPONT / DUPOND EN PÉRIGORD ONT ÉTÉ AVANT TOUT DES JOURNALISTES MÊME S'ILS N'ONT JAMAIS EU PEUR DE L'AVENTURE ...

MOI, ET TANT PIS SI ÇA ME POSE DES PROBLÈMES DE CONSCIENCE, J'AI PRIS MES PRÉCAUTIONS. C'EST UN ASSAUT QUE JE MÈNE CONTRE DES CHOSES, DES ÊTRES, PEU IMPORTE QUOI, QUI NE VEULENT À AUCUN PRIX ÊTRE DÉMASQUÉS ...

HIER, DE HOMME ET CINQ MONTUR SONT TOMBÉ DANS UN CREVAS DE GLACI

ET QUI, POUR CELA, POURSUIVENT UNE VÉRITABLE **GUERRE** CONTRE NOUS, CANAL CHOC. ALORS, LA GUERRE, IL FAUT SE DONNER LES MOYENS DE LA GAGNER !

NOUS AVONS PERDU PLUSIEURS HEURES À TENTER DE LES RETROUVER... VAINEMENT ...

AUJOURD'HUI, NOUS AVONS REPRIS NOTRE LENTE PROGRESSION MALGRÉ LE VENT VIOLENT QUI RÈGNE PRESQUE TOUT LE TEMPS SUR CETTE PARTIE TOTALEMENT RECULÉE DE LA CORDILLÈRE...

LES ARMES LOURDES SONT DIFFICILES À TRIMBALLER, NOUS AVONS FAIM, ET IL FAIT DE PLUS EN PLUS FROID, CAR ICI, C'EST L'HIVER QUI S'APPROCHE...

MAIS NOUS SERONS À PIED D'ŒUVRE TRÈS BIENTÔT ET NOUS ATTEINDRONS LE REPAIRE QUI NOUS A ÉTÉ SIGNALÉ PAR UNE GORGE INCONNUE DES CARTOGRAPHES...

JE COMPTE BEAUCOUP SUR L'EFFET DE SURPRISE POUR ENFIN **VOIR** ET **FAIRE VOIR** QUELQUE CHOSE. MAIS CETTE FOIS-CI, CHACUN AUTOUR DE MOI LE SAIT, IL FAUT ATTAQUER D'ABORD, ET FILMER ENSUITE.

C'ÉTAIT EMILIO COVADONGA, DE PATAGONIE. LA NUIT TOMBE DÉJÀ - ELLE SERA GLACIALE - MAIS LA LUTTE, ELLE, JE VOUS LE PROMETS SERA CHAUDE !

EMILIO A RAISON !

ENCORE QUELQU'UN EN RETARD ?

PAS VRAIMENT, CHARLES ! EN AVANCE !

7

13

ROSE !

ILS T'ONT LAISSÉ SORTIR DE L'HÔPITAL ?

NON. JE SUIS PARTIE EN DOUCE !

COMMENT TU VAS, MA CHÉRIE ?

LES CHIRURGIENS ONT DÉJÀ FAIT DES MIRACLES.

JE NE SUIS PAS ENCORE TOUT-À-FAIT PRÉSENTABLE, MAIS CE N'EST PLUS QU'UNE AFFAIRE DE QUELQUES JOURS.

SIMPLEMENT, JE SUIS DEVENUE UNE NÉGRESSE, COMME ILS ME DISAIENT À JOHANNESBURG. J'AI REJOINT LES FEMMES DE MA RACE ET JE RESTERAI MARQUÉE COMME ELLES.

DOMMAGE POUR MON LOOK TÉLÉ, TANT MIEUX POUR MA DÉTERMINATION.

POURQUOI PENSES-TU QU'ÉMILIO A RAISON, ROSE ?

PARCE QUE CES... CES TYPES APRÈS QUI NOUS COURONS NE SONT PAS DES SUJETS DE JOURNALISME, CE SONT DES ADVERSAIRES !

PAR MIRACLE, LES GENS DE MON ÉQUIPE ABANDONNÉS SANS VIVRES NI VÉHICULE PRÈS DE LA MINE DE DIAMANT OÙ J'AI ÉTÉ KIDNAPPÉE ONT ÉTÉ SECOURUS PAR UNE MISSION SANITAIRE QUI PASSAIT DANS LA RÉGION.

EN ÉPLUCHANT LES REGISTRES MINIERS ET EN ÉTABLISSANT DIVERSES CONNECTIONS À JO'BURG, ILS SONT ARRIVÉS À RETROUVER LA VILLA OÙ J'AI ÉTÉ SÉQUESTRÉE ET DÉFIGURÉE...

EN VOICI UNE PHOTO.

ON M'A TORTURÉE DANS CETTE PIÈCE-LÀ, AU PREMIER ÉTAGE !

8

EN PLUS DE LA DOULEUR, IL Y A UN SOUVENIR PERSISTANT QUE JE GARDE DE CES HEURES HORRIBLES.

QUEL SOUVENIR, ROSE ?

UN MÉLANGE D'ODEUR MUSQUÉE ET D'AMANDE AMÈRE - MAIS AVEC QUELQUE CHOSE DE... COMMENT DIRE...

QUELQUE CHOSE DE... DE RÉPUGNANT, ... DE TOTALEMENT ÉTRANGER.

ODEUR MUSQUÉE ?

QUELQUE CHOSE D'INHUMAIN, EN QUELQUE SORTE.

AMANDE AMÈRE ?

MMM... UN ÉLÉMENT CONCORDANT DE PLUS. C'EST CE QUE DISAIT LE DESSIN DE MONSIEUR MOEBIUS QUI NOUS A ÉTÉ VOLÉ.

C'EST AUSSI CE QUE RACONTAIT VOTRE GAMIN EN PÉRIGORD, N'EST-CE PAS, LES DUPOND DUPONT ?

EXACT, CHARLOTTE !

JE DIRAIS MÊME PLUS, FRAPPANT.

TRÈS BIEN, LES ODEURS, MESSIEURS-DAMES, MAIS PAS TRÈS TÉLÉGÉNIQUE. QU'EST-CE QUE VOUS VOULEZ QUE JE FASSE DE ÇA ?

JUMBO A RAISON, REVENONS-EN AUX IMAGES, ET NOTAMMENT À CELLES PRISES PAR CE JEUNE HOMME...

.. UN JEUNE HOMME QUI A EU UN FAMEUX RÉFLEXE EN EMPOIGNANT UNE CAMÉRA AU MOMENT DE L'ATTAQUE DE NOTRE STUDIO...

MÊME S'IL N'EN AVAIT NULLEMENT LE DROIT, HEIN, JACKY ?

J'AI CRU BIEN FAIRE, MONSIEUR BRILLANT.

ET TU AS EFFECTIVEMENT BIEN FAIT, MON GARS ! ON REGARDE TOUT DE SUITE.

CLIC

9

VOUS VOYEZ TOUS CE QUE JE VOIS ?

LE MEC... ON A L'IMPRESSION QU'IL A TROIS PIEDS !

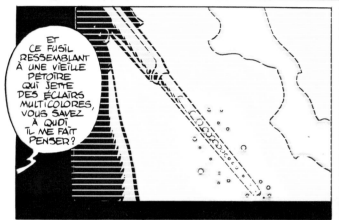

ET CE FUSIL RESSEMBLANT À UNE VIEILLE PÉTOIRE QUI JETTE DES ÉCLAIRS MULTICOLORES, VOUS SAVEZ À QUOI IL ME FAIT PENSER ?

OUI, CHARLES. AU FUSIL FRACTAL QU'ON A VU AUSSI SUR CERTAINS DESSINS.

BRAVO MON PETIT JACKY ! SUPER-IMAGES !

ALORS, ÇA Y EST, ON EST PRESQUE DES NÔTRES, GAMIN ?

PRESQUE SEULEMENT.

BIENTÔT, CE SERA TOUT-À-FAIT, J'ESPÈRE.

HOLÀ, DOUCEMENT !

JE DIRAIS MÊME PLUS, UN PEU DE RESPECT POUR CE NOBLE MÉTIER !

MOI, JE SUIS SÛR QU'IL VA VOUS ÉTONNER RAPIDOS, LES JE-SAIS-TOUT !

COMMENT VA NOTRE CAMERA-MAN BLESSÉ ?

IL A DES INTERMITTENCES, COMME GRAZIELLA.

REGARDEZ, ON L'A PRIS EN TRAIN DE SE PROMENER DANS LES JARDINS DE L'HÔPITAL...

CLIC

IMAGE FISSURÉE...

10

INTER-
MITTENCES
CORPORELLES
...

LUMINOSITÉ
ANORMALE
...

OUI, TOUT Y EST. MAIS CE QUE JE NE PIGE PAS, C'EST POURQUOI CERTAINS DE CEUX QUI ONT... EUH... EU AFFAIRE AUX INVISIBLES ONT LES YEUX BLESSÉS, ALORS QUE D'AUTRES CLIGNOTENT COMME DES SAPINS DE NOËL...

IL Y A PEUT-ÊTRE UN DÉBUT D'EXPLICATION.

NAT ?... ON T'ÉCOUTE.

JE VIENS DE DISCUTER LONGUEMENT AVEC ANDREAS.

AH, ALORS VOUS N'ÊTES PLUS FÂCHÉS, TOUS LES DEUX ?

NON, ÇA NOUS REND MALHEUREUX. ET PUIS ON EST PLUS INTELLIGENTS ENSEMBLE QUE SÉPARÉMENT. J'AI DES GRANDES CHOSES À VOUS MONTRER, FIGUREZ-VOUS !

TU Y VAS POUR LA LIAISON AVEC BERLIN, JUMBO ?

OK !

CLIC

GRAZIELLA !

11

ARRÊTE ÇA, JUMBO !

MAÏS ?

ARRÊTE, JE TE DIS !

CLIC

GRAZIELLA EST ARRIVÉE À BERLIN, ET ANDREAS ET TOI, VOUS NE ME DÎTES RIEN ? C'EST DINGUE !

NON, C'EST RAISONNABLE. IL FAUT FAIRE GAFFE.

FAIRE GAFFE À QUOI ?

FAIRE GAFFE AUX FUITES, MARIE-HÉLÈNE. VOUS AVEZ OUBLIÉ L'AFFAIRE DU CAPITAINE TIMMINS QUE NOUS A SOUFFLÉ SCOOP TV ?

NON, NON, MAÏS...

EH BIEN, ANDREAS ET MOÎ, ON NE TIENT PAS À CE QU'ON NOUS PIQUE CE QU'ON A TROUVÉ AVEC GRAZIELLA.

ÇA N'ARRIVERA PAS !

?

QU'EST-CE QUI N'ARRIVERA PAS ?

UN NOUVEAU PIQUAGE.

BON, ON ÉCOUTE GRAZIELLA, OUI OU MERDE ? ÇA VOUS FAIT RIEN DE LA RETROUVER, NOTRE STAR CHÉRIE ?

MAÏS SI, JUMBO, MAÏS SI VAS-Y !

CLIC

COUCOU ! J'ESPÈRE QUE VOUS ÊTES TOUS LÀ POUR NOUS VOIR !

MOI, ANDREAS, ET AUSSI LE PROFESSEUR VALANCIUS.

IL NE MANQUE QUE NAT, PARCE QUE SANS SES AMIS DE L'ANCIEN BLOC DE L'EST, LE PROFESSEUR N'AURAIT PAS RÉUSSI, ET JE NE SERAIS SANS DOUTE PAS EN ÉTAT DE VOUS PARLER.

BISOUS SPÉCIAUX POUR TOI DE TA PETITE GRAZIELLA, NAT !

LE PROFESSEUR VINCAS VALANCIUS VA VOUS EXPLIQUER OÙ NOUS EN SOMMES ICI.

JE N'AI PAS L'HABITUDE DE ... DE PARLER À LA TÉLÉVISION, MAIS JE VAIS ESSAYER.

J'AI D'AILLEURS QUELQUES PHOTOS QUI VOUS MONTRERONT DES CHOSES ...

L'ENDROIT D'OÙ JE VIENS, PAR EXEMPLE, EN SIBÉRIE. C'EST LÀ QU'ON ACCUEILLAIT EN SECRET TOUS LES MALADES BIZARRES, LES GENS IRRADIÉS, EMPOISONNÉS, MUTILÉS PAR NOTRE TERRIBLE INDUSTRIE SOVIÉTIQUE ...

PEU À PEU, J'AI VU ARRIVER DE NOUVEAUX PATIENTS. ILS VENAIENT TOUS D'UN CENTRE DE RECHERCHE MILITAIRE DU KAMCHATKA ET ILS SOUFFRAIENT DE QUELQUE CHOSE D'INCONNU. POUR LA PLUPART, ILS ÉTAIENT INCAPABLES DE RACONTER CE QUI LEUR ÉTAIT ARRIVÉ ...

VICTIMES DE SAUTES DE LEUR PERSONNALITÉ PHYSIQUE, ILS ÉTAIENT AUSSI VICTIMES DE CE QUE JE PRENAIS POUR DES HALLUCINATIONS COLLECTIVES.

INLASSABLEMENT ILS DEMANDAIENT AU SEUL ARTISTE DE LEUR GROUPE DE DESSINER LE MÊME TABLEAU À LA SIGNIFICATION INCOMPRÉHENSIBLE, SAUF POUR EUX ...

MINCE ! C'EST CELUI QU'ON A DANS LA PIÈCE SECRÈTE !!

OU UNE DE SES RÉPLIQUES.

CCCHUUT !

13

TOUS CES TABLEAUX NOUS ONT ÉTÉ VOLÉS AU COURS D'UNE ATTAQUE NOCTURNE.

UNE ATTAQUE DURANT LAQUELLE J'AI ÉTÉ MOI-MÊME BLESSÉ ALORS QUE JE ME TROUVAIS AVEC MES MALADES.

UNE SORTE D'ARC-EN-CIEL INDOLORE M'A TRANSPERCÉ.

COMME GRAZIELLA PENDANT SON ENLÈVEMENT, MÊME SI ELLE NE S'EN SOUVIENT PLUS.

COMME NOUS TOUS ICI, EHRENBERG-STRASSE.

J'AI PERDU LA TÊTE, SEMBLABLE À TOUS CEUX QUI ONT ÉTÉ TOUCHÉS DE CETTE FAÇON. JE ME SUIS ENFUI À L'OUEST.

MAIS JE SUIS RESTÉ MÉDECIN. À FORCE DE TRAVAILLER, JE CROIS QUE J'AI TROUVÉ LA NATURE DE LA MALADIE, ET DONC DE L'ARME QUI NOUS A FRAPPÉS.

JE CROIS AUSSI QUE J'AI COMPRIS COMMENT LUTTER CONTRE SES EFFETS. IL S'AGIT D'UN PHÉNOMÈNE OPTIQUE TRÈS COMPLEXE QUI...

POUVEZ-VOUS PLUTÔT NOUS MONTRER L'APPAREIL? IL A ENFIN ÉTÉ RÉALISÉ PAR LA VIEILLE FIRME D'IÉNA QUE NAT A EU LA BONNE IDÉE DE METTRE EN CONTACT AVEC NOUS, N'EST-CE PAS?

LE VOICI, EN EFFET!

ET AVEC ÇA, VOUS PENSEZ POUVOIR GUÉRIR LES EFFETS DES FUSILS FRACTAUX?

20

PAS GUÉRIR, ANDREAS ...

... SEULE-MENT CONTRÔLER -

VOUS QUI ÊTES À PARIS EN CE MOMENT, REGARDEZ CE QU'A DONNÉ L'EXPÉRIMEN-TATION SUR MOI ET UNE AMIE. ON ÉTAIT TOUTES LES DEUX EN PLEINE CRISE AU MÊME MOMENT...

REGARDEZ ! ELLES SE RECOMPO-SENT !

VOILÀ ! MAIS IL FAUT ENCORE PERFECTIONNER L'APPAREIL -

IL M'A QUAND-MÊME GUÉRI DE MES PIRES ANGOISSES, CET APPAREIL -

21

ILS SONT COLLANTS, CES MECS !

MAIS SI JE SUIS PARVENU À LEUR ÉCHAPPER AU FIN FOND D'UN VILLAGE THAÏLANDAIS DÉSERT...

JE DEVRAIS BIEN Y ARRIVER EN PLEINE CIVILISATION !...

BLAM

BLAM BLAM BLAM

BASEL ZÜRICH

23

WASHINGTON, CAPITALE DES USA, CAPITALE DU CRIME, CAPITALE DU LOBBY MILITARO-INDUSTRIEL...

ICI PHIL HILMER !

VOUS M'ENTENDEZ, À PARIS ?

VOUS ME VOYEZ AUSSI, J'ESPÈRE ?

TOUT BAIGNE, LES GARS, SUFFIT DE M'ATTENDRE TRANQUILLEMENT À PARIS !

AH BON! LUI AUSSI, IL SUFFIT DE L'ATTENDRE TRANQUILLEMENT ? J'AI TOUJOURS DIT QUE LE BOULOT DE REPORTER, C'ÉTAIT SURFAIT !

POUR LE MOMENT, J'AI QUELQUES PETITS PROBLÈMES TEMPORAIRES...

ARE YOU PUTTING ME ON ?

MAIS TOUT BAIGNE, JE VOUS DIS ! ON A DES IMAGES SUPER D'UN MEC DU PENTAGONE ...

TU PEUX LEUR BALANCER ÇA EN FRANCE, TOI ?

DANS DES CONDITIONS PAREILLES, PHIL, JE NE SUIS PAS SÛR DE LA QUALITÉ ...

T'OCCUPE ! POUR LA QUALITÉ, ON VERRA PLUS TARD !

FIGUREZ-VOUS QU'EN PLEINE RÉUNION DU HAUT COM-MANDEMENT, UN GARS S'EST MIS À FLASHER COMME UNE ENSEIGNE DE BROADWAY !

J'Y VAIS, ALORS.

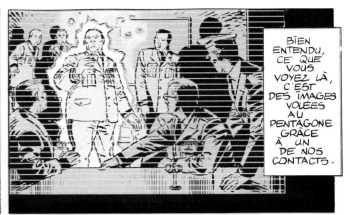

BIEN ENTENDU, CE QUE VOUS VOYEZ LÀ, C'EST DES IMAGES VOLÉES AU PENTAGONE GRÂCE À UN DE NOS CONTACTS.

NOTRE VIEUX POTE LE CAPITAINE TIMMINS FAISAIT UNE DÉPOSITION SUR LES SATELLITES DÉTRAQUÉS...

IL Y AVAIT TOUT LE GRATIN DE L'ÉTAT-MAJOR DE L'US-ARMY, DES CONSEILLERS DU SECRÉ-TAIRE D'ÉTAT, DES HOMMES DU PRÉSIDENT...

IL Y AVAIT AUSSI DES FILMS DE TOUS LES ENGINS VOLANTS DEVENUS AVEUGLES DANS LA STRATO-SPHÈRE...

IL Y AVAIT ENFIN QUELQUES ANALYSTES DE HAUT NIVEAU PRÉTENDANT QUE TOUT ÇA N'ÉTAIT QU'AFFABULA-TIONS DE FROUSSARDS ET MONTAGES D'ESPIONS ...

MANQUE DE POT, LEUR PORTE-PAROLE S'EST LITTÉRALEMENT DÉSINTÉGRÉ SOUS LES YEUX DU HAUT ÉTAT-MAJOR.

VOUS IMAGINEZ LE BORDEL ?!...

TOTAL, LE BORDEL !

19

25

L'ENNUI, C'EST QUE NOS PETITS CAMARADES DU LOBBY DES DURS NOUS ONT RETROUVÉS DANS NOTRE PLANQUE !

ET LE MOINS QU'ON PUISSE DIRE, C'EST QUE ÇA CHIE DES BRIQUES !

LA LOI ET L'ORDRE À WASHINGTON D.C., ÇA VA, ÇA VIENT...

ÇA DÉPEND SI VOUS AVEZ DEALÉ TROIS GRAMMES DE COKE...

AUQUEL CAS ON VOUS ALPAGUE...

OU BIEN SI VOUS ÊTES ASSIS, LE CUL SUR UN GROS SECRET D'ÉTAT...

AUQUEL CAS TOUT S'ARRANGE...

ALORS, OU BIEN JE FINIS HÉROS NATIONAL AVEC LA MÉDAILLE DU CONGRÈS, ...

OU BIEN JE ME RÉFUGIE EN FRANCE TERRE D'ASILE !

SHIT !

ON S'EST FAIT EUS ! MAIS JE NE SAIS PAS PAR QUI - FBI ?

MERDE ! Y A PLUS D'IMAGE !

C'EST QUAND MÊME PAS SI TRANQUILLE QUE ÇA, LE REPORTAGE...

CIA ?

?

ARMÉE ?

WHERE IS THAT DAMN CASSETTE ?

GANGSTERS ?

THERE... THE BLACK BOY...

GIMME THAT FUCKING CASSETTE, YOU MORON !

OU LA BANDE DES INVISIBLES ?

APPELEZ BOB PRITCHARD À GLASGOW - IL SAIT DES TRUCS !

NOUS, ON SE CASSE !

BLAM

BLAM

GLASGOW,
CITÉ SINISTRÉE
DU TATCHERISME,
CITÉ PUNIE
DU CAPITALISME,
MAIS TOUJOURS
CITÉ D'ANCIENNE
SPLENDEUR...

OÙ SOMMES-NOUS, MADAME ?

DANS LA FABULEUSE ÉCOLE D'ART BÂTIE PAR CHARLES RENNIE MACKINTOCH ENTRE 1896 ET 1910.

UN BIJOU ISOLÉ QUI ANNONCE L'ART NOUVEAU EN LE MÊLANT À UNE ESPÈCE DE VIOLENCE CELTIQUE MASSIVE ...

POUVEZ-VOUS NOUS DIRE CE QUE VOUS Y FAITES ?

AVEC PLAISIR. J'Y RECOPIE LES DESSINS TRÈS ÉTRANGES DE PERCY DOUGLAS MACNAIR, ARTISTE ET POÈTE CONTEMPORAIN DES DÉBUTS DE L'ÉCOLE ELLE-MÊME, OÙ IL A ENSEIGNÉ BRIÈVEMENT.

POURQUOI LES RECOPIER ?

PARCE QU'ILS SONT EN TRAIN DE PARTIR EN POUSSIÈRE.

REGARDEZ !

ET POURQUOI NE PAS LES PHOTOGRAPHIER ?

PHOTOS ET MICROFILMS SONT AFFLIGÉS D'UNE AUTRE MALADIE...

ILS BRÛLENT AUSSITÔT QU'ON LES EXPOSE UN PEU LONGUEMENT À LA LUMIÈRE.

TENEZ !

SHHHHHHH

ET VOS DESSINS À VOUS, MADAME ?

JUSQU'À NOUVEL ORDRE, ILS RÉSISTENT.

ROETZINGER.

QUI ÉTAIT CE PERCY DOUGLAS MACNAÏR ?

UN ESPRIT TRÈS CURIEUX, TRÈS PERVERS, TRÈS TALENTUEUX, AUSSI.

SON DESSIN EST MANIÉRÉ, BIEN SÛR, TROP IMBIBÉ DES JOLIESSES POST-PRÉRAPHAÉLITES, SI J'OSE DIRE, AVEC UN GOÛT UN PEU IMMODÉRÉ DES DÉCORATIONS CRYPTO-FLORALES ET AUTRES VOLUTES ANNONÇANT LE STYLE NOUILLE.

EUH ... LÀ, NOS SPECTATEURS RISQUENT D'ÊTRE UN PEU PERDUS. VOUS POUVEZ EXPLIQUER ?

23

CERTES. DANS LES ANNÉES 1900-1903 OÙ IL ATTAQUE SA SEULE ET UNIQUE OEUVRE, MACNAÏR RESTE MARQUÉ PAR LES THÉORIES DE DANTE GABRIELE ROSSETTI ET EDWARD BURNE-JONES DONT L'OEUVRE EST DÉJÀ ACHEVÉE. IL EST VRAI QUE MACNAÏR EST NÉ DANS L'ÎLE DE HARRIS, LA PLUS LOINTAINE DES HÉBRIDES, ET QU'IL N'A JAMAIS QUITTÉ SON ÉCOSSE NATALE.

MAIS SI SON STYLE EST DÉJÀ DATÉ, SON ESPRIT, LUI, EST D'UNE TOTALE INDÉPENDANCE. MACNAÏR EST UN INSULAIRE FAROUCHE, AU PARLER ROCAILLEUX ET À L'HUMEUR SAUVAGE. IL ROMPT TRÈS VITE AVEC CEUX QU'ON NE SAURAIT APPELER SES MAÎTRES QU'ABUSIVEMENT. QUANT AUX AMIS, À PART LE CRÉATEUR DE L'ÉCOLE OÙ NOUS NOUS TROUVONS, IL N'EN A PAS.

PROBABLEMENT FRANC-MAÇON DISSIDENT, IL ENTREPREND UNE OEUVRE ÉTONNANTE, À LA FOIS PARFAITEMENT ONIRIQUE, TELLE UNE LÉGENDE DES HÉBRIDES, ET PARFAITEMENT RÉALISTE COMME UNE USINE DE GLASGOW L'INDUSTRIEUSE. CETTE OEUVRE QUI NE SERA JAMAIS PUBLIÉE, ET QUI SE TROUVE À L'ÉTAT DE MANUSCRIT DANS CE VOLUME FORT ABÎMÉ, IL L'INTITULE :

## LA LOGE INVISIBLE.

MACNAÏR, MÉLANGEANT TEXTES ET DESSINS, INVENTE DE TOUTES PIÈCES UNE CIVILISATION GUERRIÈRE D'ORIGINE COSMIQUE INCONNUE, ET VOUÉE À OCCUPER TÔT OU TARD NOTRE PLANÈTE. CERTAINS DE SES REPRÉSENTANTS SONT DÉJÀ PRÉSENTS INCOGNITO DANS LA SOCIÉTÉ ÉDOUARDIENNE DE L'ÉPOQUE OÙ TRAVAILLE MACNAÏR, ET VIVENT CACHÉS PAR EXEMPLE DANS DES MINES ABANDONNÉES, DES SANCTUAIRES OUBLIÉS, DES CARRIÈRES CONDAMNÉES, DE GROTTES PROFONDES. L'AUTEUR LES DOTE D'UNE ARCHITECTURE, D'UN ARMEMENT, DE VÊTEMENTS TOUT À FAIT ORIGINAUX. LEUR SCIENCE PRINCIPALE SEMBLE ÊTRE CONSACRÉE À L'ÉTUDE DE LA LUMIÈRE ET À SES APPLICATIONS.

ES INVISIBLES ONT TROIS PIEDS, UN SQUELETTE OÙ SE MÊLENT L'INSECTE ET LE SAURIEN. ILS CONSTITUENT UNE [A]RISTOCRATIE GUERRIÈRE, UNE "STRATOCRATIE", SELON LES TERMES DE MACNAIR, À LAQUELLE NUL N'EST CENSÉ POUVOIR ['S]OPPOSER. TOUS CEUX QUI LES VOIENT PAR INADVERTANCE, CEUX QUI COLLABORENT CONSCIEMMENT OU INCONSCIEMMENT [A]VEC EUX, OU ENCORE CEUX QUI DEVIENNENT LEURS SUBORDONNÉS, POUR NE PAS DIRE LEURS ESCLAVES, TOUS CEUX-LÀ [S]ONT ATTEINTS DE PROBLÈMES OCULAIRES QUI, INÉLUCTABLEMENT, LES MÈNENT À LA CÉCITÉ. QUANT À CEUX QUI LEUR [R]ÉSISTENT, ILS SONT VOUÉS À L'ÉCLATEMENT TOTAL DE LEUR PERSONNALITÉ PAR UN TIR DE CE QUE MAC NAIR APPELLE UN FUSIL FRACTAL.

NOM DE DIEU DE NOM DE DIEU DE NOM DE DIEU !

LE BUSH !

LÀ PRÉCISÉMENT OÙ MONSIEUR MOEBIUS A RECUEILLI CES RÉCITS ORAUX ÉVOQUANT ON NE SAIT QUEL ANIMAL OU ENTITÉ À TROIS PIEDS !

CE N'EST PLUS DES ATOUTS QU'ON A, C'EST UNE MAIN GAGNANTE !

MAIS ALORS TOUT ÇA, TOP SECRET ET BOUCHE COUSUE JUSQU'AU DÉVOILEMENT QUI TUE.

JE DIRAIS MÊME PLUS JUSQU'À LA DESTRUCTION DE L'IMAGE DE CES FOUTUS DESTRUCTEURS D'IMAGES !

OUI, OUI, EMBARGO COMPLET SUR TOUS LES DOCUMENTS QUI VIENNENT DE NOUS ARRIVER, JUMBO !

OK, BOSS !

EXCUSEZ-MOI, CHARLES. TOUT CELA EST PASSIONNANT, MAIS J'AI UN RENDEZ-VOUS AVEC NOTRE RÉGIE PUBLICITAIRE. IL FAUT QUE JE VOUS QUITTE ---

C'EST DOMMAGE, MARIE-HÉLÈNE. NOUS AVONS TOUS BESOIN D'ÊTRE ENSEMBLE POUR PRÉPARER LA RIPOSTE, MAINTENANT.

NON, CE N'EST PAS DOMMAGE !!!

PARDON ? QUI A DIT ÇA ?

MOI.

COMMENT ÇA, JACKY ?

VAS-Y MON POUSSIN, T'ES LE MEILLEUR !

LE MEILLEUR ?

HÉ, HO, MOLLO !

...PENSE, AU CONTRAIRE, ...E C'EST UNE BONNE ...OSE QUE MADAME DE LA PRADE NOUS QUITTE.

COMMENT, COMMENT ?

JE REGRETTE SEULEMENT QU'ELLE EN SACHE DÉJÀ TROP.

LÀ, TU DÉPASSES LES BORNES, MON GARS ! C'EST PAS PARCE QUE TU AS TOUCHÉ TA PREMIÈRE CAMÉRA QUE...

UN INSTANT, MONSIEUR BRILLANT ! J'AI DES PREUVES DE SA TRAHISON - CETTE CASSETTE !

DE QUOI, TRAHISON ? ! ... PETIT INSOLENT !

JE NE SUIS PAS INSOLENT, JE SUIS FACTUEL !

JUMBO, TU PEUX NOUS PASSER ÇA ?

PAS DE PROBLÈME !

CLIC

L'IMMEUBLE DE MARIE-HÉLÈNE DE LA PRADE, CHARGÉE DES RELATIONS EXTÉRIEURES DE CANAL CHOC - TOUT LE MONDE RECONNAÎT, OUI ?

27

33

PASSY, DANS L'UN DE SES RECOINS LES PLUS SINISTRES MAIS LES PLUS FRIQUÉS...

LES IMMEUE ONT L'AVANT D'Y MÊ CARIATI ET ATLANT

MASCARONS TARABISCOTÉS ET BALCONS OUVRAGÉS
...

...PAS FACILE D'ARRIV AU CINQUIÈ ÉTAGE TOUT DE MÊM

LA PORTE-FENÊTRE, EN REVANCHE, PAS DE PROBLÈME...

...OUVRIR LA PORTE DE L'INTÉRIEUR RELATIVEMENT FACILE AUSSI.

MOI, JE TRIMBALLAIS LA CAMÉRA. J'AI HORREUR DE ÇA, ÇA VOUS CISAILLE L'ÉPAULE, POUAH... MAIS C'ÉTAIT POUR JACKY, HEIN ?

QU'EST-CE VOUS AVEZ À SERRER COM ÇA, ESPÈCES VIEUX LUBRIC

GREG SORT DE L'ASCENSEUR, JE REPRENDS L'ENGIN
...

ET, AVE UNE AISA DÉRISOI ON TROU TOUS LES BIEN PL ENCOR QU'ON ESPÉRA

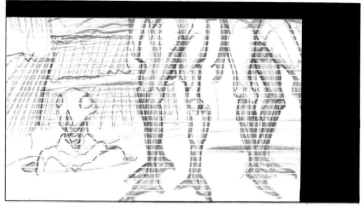

LES DESSINS VOLÉS !

ÇA ALORS... JE ME DISAIS BIEN QU'IL Y AVAIT QUELQUE CHOSE QUI NE COLLAIT PAS DANS CE QU'ILS RACONTAIENT SUR NOTRE PETITE GRAZIELLA À TOUS !... ELLE M'A TAPÉ SUR LE CORGNOLON POUR S'ENFUIR, D'ACCORD ! MAIS PIQUER DES DESSINS, NON !

GRAZIELLA NE LES A JAMAIS VOLÉS, CES DESSINS. EN EFFET, C'EST MADAME DE LA PRADE QUI S'EN EST EMPARÉE DANS LA PANIQUE AMBIANTE !

ET C'EST AUSSI MADAME DE LA PRADE QUI A FILÉ L'AFFAIRE TIMMINS À NOS CONCURRENTS DE SCOOP TV !

TOUT COMME C'EST MADAME DE LA PRADE QUI A DONNÉ LE OK POUR L'ATTAQUE DE NOS STUDIOS À PARTIR D'UNE CABINE TÉLÉPHONIQUE !

VOUS L'AVEZ DÉJÀ VUE PARMI NOUS, MADAME DE LA PRADE, EN CAS DE COUP DUR ?

...AIN, IL ...TONNE, ...E ...MIN !

JE DIRAIS MÊME PLUS, J'AI L'IMPRESSION QU'IL NOUS POUSSE VERS LE TROISIÈME ÂGE !

LÂCHEZ-MOI, TAS DE DÉBRIS !

MARIE-HÉLÈNE, COMMENT AVEZ-VOUS PU ?!...

ATTENTION, CHARLES !

JE DIRAIS MÊME PLUS...

29

POUSSEZ

AH BEN ! VOUS VENEZ CHERCHER DES CIGARES POUR MONSIEUR BRILLANT, PEUT-ÊTRE ?

JE NE VIENS RIEN CHERCHER DU TOUT !

DE TOUTE FAÇON, J'AI TOUJOURS DÉTESTÉ LES POIVROTS, LES FUMEURS ET LES GOIN- FRES QUI FRÉQUENTAIENT NOTRE BOUIBOUI PENDANT LE GROS ROUGE !

AH ÇA ! LE GROS ROUGE, JE TOLÈRE PAS ! LA VITRINE BOUSILLÉE, BON ! MAIS QU'ON DISE QUE CHEZ MOI ON BOIT DU GROS ROUGE, JAMAIS !!!

PLUS TARD, DANS LE GRAND STUDIO DE CANAL CHOC.

AH, MESDEUX ET MESSIAMES !

JE VEUX DIRE MESDAMES ET MESSIEURS... J'EN BAFOUILLE... QUELLE SOIRÉE... QUEL SUSPENSE "

ANAL CONTRE L'INVISIBLE

POUR CEUX QUI NOUS REJOIGNENT SEULEMENT DANS CETTE DEUXIÈME PARTIE DE L'ÉMISSION...

JE RAPPELLE TOUT D'ABOR L'EXTRAORDINAIRE ÉPOPÉE DE NOTRE AMI EMILIO COVADONGA EN PATAGONIE, OÙ IL EST PARVENU ENFIN À DÉBUSQUER "

LES INVISIBLES !

J'ENVOIE LES IMAGES MAGNÉTO ET JE MIXE AVEC UN NOUVEAU COMMENTAIRE D'EMILIO ! OK, GREG ?

CLIC

BRATACTACTACTACTAC

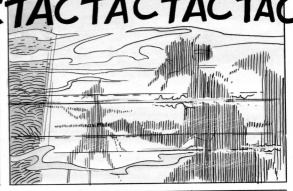

35

RÉFUGIÉS DANS UNE SORTE DE LABORATOIRE CLANDESTIN AU MATÉRIEL SOPHISTIQUÉ ...

"...NOTAMME DES INSTRUME D'OPTIQU INCONNUS DE NOUS À CE QU' ME SEMBL ...

"...QUI ONT VRAIMENT ÉTÉ NOS ADVERSAIRES DE TOUT À L'HEURE ... FAUTE DE MORTS OU DE BLESSÉS QU'ILS AURAIENT LAISSÉS DERRIÈRE EUX ..."

"...J'AVOUE QUE JE ME LE DEMANDE TOUJOURS - LA LUMIÈRE ÉTAIT BIZARRE, LA BRUME INTENSE, LES ÉCLAIRS DE LEURS ARMES AVEUGLANTS ..."

POUR MA PAR J'AI CRU VOIR DES FORMES NON-HUMAINE MAIS CERTAINS DE MES HOMMES N'EN PENSENT RIEN -

ERAN HOMBRES COMO NOSOSTROS, ¡SEGURO!

¿OLOR DE ALMENDRA ?

QUANT À SAVOIR COMMENT LES ÊTRES QUI SE TROUVAIENT LÀ IL Y A MOINS D'UN QUART D'HEURE SE SONT ENFUIS ALORS QU'ON CROYAIT LES TENIR ...

"...C'EST PAR DES PUITS COMME CELUI-CI QU'ILS ONT DISPARU L'UN APRÈS L'AUTRE -

TOUS CORRESPONDENT AVEC CE COULOIR, AU BOUT DUQUEL IL Y A UNE SORTE DE PISTE D'ENVOL.

MAIS D'ENVOL DE QUOI ?

HÉLICOPTÈRE BANAL ? AVION À DÉCOLLAGE VERTICAL ? LANCEUR DE TYPE FUSÉE ? AUTRE APPAREIL DE NATURE INCONNUE ?

J'AVAIS PRIS LA PRÉCAUTION DE LAISSER TOURNER UNE CAMÉRA À L'EXTÉRIEUR.

LE MOINS QU'ON PUISSE DIRE, HÉLAS, C'EST QUE CES IMAGES NE SONT GUÈRE CONCLUANTES...

MAIS NOUS N'ÉTIONS PAS VENUS POUR FAIRE DES PRISONNIERS OU AMASSER UN BUTIN, DE TOUTE FAÇON...

JOURNALISTES NOUS SOMMES, JOURNALISTES NOUS RESTONS !

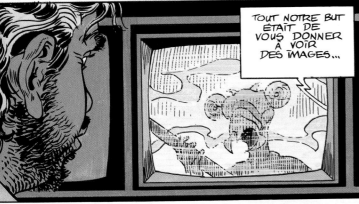

TOUT NOTRE BUT ÉTAIT DE VOUS DONNER À VOIR DES IMAGES...

DES IMAGES QUE VOUS PARVIENDREZ PEUT-ÊTRE À ANALYSER MIEUX QUE NOUS À PARIS.

IL FAUT QUE J'AILLE REJOINDRE MES HOMMES ET SOIGNER LES BLESSÉS AVANT D'AMORCER LA LONGUE REDESCENTE.

ICI EMILIO COVADONGA, QUELQUE PART EN PATAGONIE.

43

FANTASTIQUE, MESDIEUX ET MESSAMES! FANTASTIQUE TOUT CELA !

MAIS CE N'EST PAS TOUT !

LES ARRESTATIONS SE POURSUIVENT À WASHINGTON ...

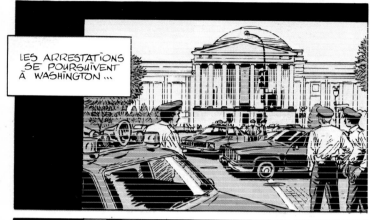

EN EFFET, LA CASSETTE PIRATE DE NOTRE AMI PHIL HILME A FAIT TOMBER LES MASQUES D'UN CERTAIN NOMBRE DE MARCHANDS DE CANONS

TOUS CES LOBBYISTES DE LA GUERRE PULLULANT AUTOUR DU SÉNAT U.S. ÉTAIENT-ILS DE MÈCHE AVEC LES "INVISIBLES" POURSUIVANT À L'INSU DES POUVOIRS EN PLACE LEUR RÊVE DE CONTRÔLE MILITAIRE DE LA PLANÈTE ?

OU BIEN IGNORAIENT ILS JUSQU'À LEUR EXISTENCE À CONDITION QUE CETTE EXISTENCE ELLE-MÊME SOIT PROUVABLE D'AILLEURS ...

J'AIMERAIS AVOIR À CE SUJET L'OPINION DE BOB PRITCHARD ET DE MADAME GOETZINGER QUI SONT EN LIAISON AVEC NOUS.

VOUS M'ENTENDEZ, À L'ÉCOLE D'ART DE GLASGOW ?

TRÈS BIEN, GREG, ET JE LAISSE LA PAROLE À CELLE QUI CONNAÎT LE MIEUX L'OEUVRE ÉTRANGE DE PERCY DOUGLAS MACNAIR.

TOUTE LA QUESTION EST DE SAVOIR SI MACNAIR A CRÉÉ CETTE OEUVRE À PARTIR DE PURS FANTASMES ET BÂTI UNE CIVILISATION TOTALEMENT APOCRYPHE...

...OU BIEN SI, POUR DÉCRIRE LE FONCTIONNEMENT DE SA **LOGE INVISIBLE**, IL S'EST INSPIRÉ DE FAITS CACHÉS QU'IL AURAIT PEUT-ÊTRE DÉCOUVERTS DANS SON ÎLE DE NAISSANCE LOINTAINE.

DANS LE PREMIER CAS, DES LECTEURS AYANT EU CONNAISSANCE DU CONTENU DE CE VOLUME ONT PU S'EN INSPIRER POUR CRÉER UNE SORTE DE SOCIÉTÉ SECRÈTE À VOCATION GUERRIÈRE ET LUI DONNER CERTAINS RITUELS DE TYPE INITIATIQUE.

DANS LE SECOND CAS, LES ALLIÉS LIBRES OU CONTRAINTS DE LA LOGE INVISIBLE ONT SANS DOUTE EU, QUANT À EUX, LE DÉSIR D'OCCULTER TOUTE PREUVE DE SON EXISTENCE, ET CELA SIMPLEMENT POUR ÉVITER DE SE FAIRE CRUELLEMENT PUNIR...

MAIS DANS TOUS LES CAS, ET COMME TOUTES LES ENTREPRISES HUMAINES OU IN-HUMAINES...

"LE RÉEL ET L'IRRÉEL FINIRONT EN POUSSIÈRE..."

TOUT COMME CE LIVRE DE PERCY DOUGLAS MACNAIR, ET SANS DOUTE UN JOUR MES PROPRES DESSINS DE SES DESSINS...

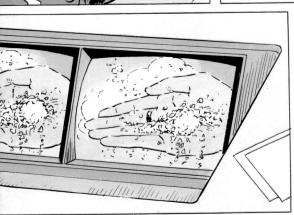

RÉEL OU IRRÉEL, QUI PEUT TRANCHER EN EFFET ? MAIS CE QUI EST BIEN RÉEL, CE SONT LES CONSÉQUENCES DES RÉVÉLATIONS DE CANAL CHOC.

INCULPATION DE TRAFIQUANTS D'ARMES ET DE DIAMANTS À JOHANNESBURG ...

ÉLIMINATION À MALTE D'UN INTER MÉDIAIRE MULTI-MILLIARDAI PRÉSENT DANS TOUS LES CONFLI DU PROCH ORIENT

BOMBAR-DEMENT INEXPLIQUÉ D'UN CENTRE DE RECHERCHE MILITAIRE CLANDESTIN AU KAMTCHATKA ...

ON N'EN FINIRAIT PAS D'ÉNUMÉRER TOUT CE QUE NOUS AVONS MIS EN BRANLE CE SOIR ! MAIS NOUS AVONS MIEUX À FAIRE !

CHERS SPECTATEURS ! CHERS AMIS PRÉSENTS DANS CE STUDIO ...

... LAISSEZ-MOI LE PLAISIR DE VOUS ANNONCER LE SECOND RETOUR DE ...

GRAZIELLA PLATTNER !

LA VOICI, ACCOMPAGNÉE PAR NOTRE CHER ANDREAS MEYER ! ON L'APPLAUDIT LUI AUSSI !

CLAP CLAP CLAP CLAP CLAP CLAP

ET LAISSEZ-MOI AUSSI LE PLAISIR D'ACCUEILLIR ...

ROSE DHLAKAMA !

46

CET APPAREIL EST CELUI QUI PERMET À GRAZIELLA DE CONSERVER DÉSORMAIS SON INTÉGRITÉ PHYSIQUE...

IL EN VA DE MÊME POUR TOUS CEUX, TELS NOTRE CAMÉRAMAN, TOUCHÉS PAR UN TIR D'ARME INCONNUE, QU'ELLE S'APPELLE FUSIL FRACTAL OU PAS -

MAIS LE PROFESSEUR PENSE AUSSI QUE CET APPAREIL PERMET DE SAVOIR SI QUELQU'UN A EU DES CONTACTS AVEC LES INVISIBLES, C'EST EXACT ?

C'EST EXACT, MAIS NON PROUVÉ !

EH BIEN PROFESSEUR, PROUVEZ-LE !

JE... JE NE SUIS PAS UN COBAYE !

MON APPAREIL EST SANS DANGER, MONSIEUR -

IL NE SERVIRA QU'À MESURER VOTRE MENSONGE -

ÇA NE ME DIT RIEN QUI VAILLE, TOUT ÇA. JE PRÉFÈRE ME TENIR PRÊT !

MOI, JE M'APPRÊTE À COMPTABILISER LES DÉGÂTS...

SCHPOF

PLUS TARD, DANS LA NUIT DOUCE QUI RÈGNE SUR PARIS ...

CHARLES ?... C'EST ALAN PLESHETTE QUI VOUS APPELLE DE VANCOUVER. ON ME DIT QUE VOUS ÊTES DANS LA PIÈCE PROTÉGÉE. POURQUOI NE RÉPONDEZ-VOUS PAS ?

VOUS AVEZ UN PROBLÈME, CHARLES ?

J'AI TOUJOURS RÊVÉ D'ÊTRE AIMÉE DANS UNE PIÈCE SECRÈTE ...

CCHHUUT

ÇA VA MIEUX ?

JE DIRA MÊME PL ÇA VA BIEN

VOUS ÊTES QUAN MÊME MIGNO TOUS LES D

MAINTENANT QUE VOUS M'AVEZ TOUT EXTORQUÉ SUR SCOOP TV ET SÉQUESTRÉE DANS MON PROPRE APPARTEMENT, QUAND ALLEZ-VOUS PARTIR, PETIT SALIGAUD ?

MAINTENANT JUSTEMENT, PUISQUE L'ÉMISSION SPÉCIALE EST FINIE.

MES HOMMAGES, MADAME DE LA PRADE, COMME DIRAIENT MES DEUX VIEUX MAÎTRES ...

C'EST UN TRÈS JOLI GARÇON DU NOM DE JACKY. VOUS L'ENVOYEZ À MA TABLE AUSSITÔT QU'IL ARRIVE, N'EST-CE PAS ?

RÉGIE

CHARLES ? LE CONSEIL D'ADMINISTRATION UNANIME VEUT VOUS ADRESSER SES FÉLICITATIONS, ET MOI, J'ARRIVE DEMAIN DANS MON JET POUR VOUS PARLER DE NOS NOUVEAUX PROJETS POUR **CANAL CHOC !**

PIERRE CHRISTIN **FIN** PHIL AYMOND

**Charles Brillant**
Directeur de la Rédaction

**Marie Hélène
de la Prade**
Chargée des
Relations Extérieures

**Eugène
"Jumbo" Aslanian**
Réalisateur des
émissions d'information

**Georges Delsaux (dit Dupond)**
responsable du service investigations

**Antoine Duprat (dit Dupont)**
co-responsable du service investigations

# C A N A L

**Charlotte Esteve**
Assistante de réalisation

**Grégoire Rastier
(dit Greg)**
Présentateur vedette

**Rose Dhlakama**
Correspondante à Nairobi
couvre l'Afrique

**Robert Pritchard (dit Bob)**
Anglais, Grand Reporter